Primera edición, 2014

Chirif, Micaela
    Más te vale, Mastodonte / Micaela Chirif ;
ilus. de Issa Watanabe. — México : FCE, 2014
    [42] p. : ilus. ; 40 × 26 cm — (Colec. Los
Especiales de A la Orilla del Viento)
    ISBN 978-607-16-1927-3

    1. Literatura infantil I. Watanabe, Issa, ilus.
II. Ser. III. t.

LC PZ7   Dewey 808.068 Ch383m

Distribución mundial

© 2014, Micaela Chirif, texto
© 2014, Issa Watanabe, ilustraciones

D. R. © 2014, Fondo de Cultura Económica
Carretera Picacho Ajusco 227, Bosques
del Pedregal, C. P. 14738, México, D. F.
www.fondodeculturaeconomica.com
Empresa certificada ISO 9001:2008

Colección dirigida por Socorro Venegas
Edición: Angélica Antonio Monroy
Fotografía: Javier García-Rosell
Diseño: Miguel Venegas Geffroy
Agradecimiento a Musuk Nolte

Comentarios y sugerencias:
librosparaninos@fondodeculturaeconomica.com
Tel.: (55)5449-1871. Fax: (55)5449-1873

ISBN 978-607-16-1927-3

Se terminó de imprimir y encuadernar en abril de 2014 en Impresora
y Encuadernadora Progreso, S. A. de C. V. (IEPSA), calzada
San Lorenzo 244, Paraje San Juan, C. P. 09830, México, D. F.

El tiraje fue de 6700 ejemplares.

Impreso en México • Printed in Mexico

Para Mae, mi pequeña
domadora de mastodontes.
                    I. W.

¡MÁS TE VALE, MASTODONTE!

Micaela Chirif • Issa Watanabe

LOS ESPECIALES DE
A la orilla del viento
FONDO DE CULTURA ECONÓMICA

Los mastodontes son enormes y FEROCES.

Lo sé porque ¡yo tengo uno en mi casa!

Y cada vez que le pido algo, él responde:

"¡NO!"

—¡Tiende la cama, Mastodonte!

—¡NO!

A Late Entry But a Real Contender for the Holiday Business

The
GO-PONY

Safe
Can't Tip Over
Artistic
Bright Colors
Noiseless
Built Sturdily
Light Weight

Can be used
as ordinary
Hobby Horse.
Appeals to child
A Quick Seller
A Real Profit

It A

The Go-Pony is the

$36.00
per dozen
IMMEDIATE
DELIVERIES

ALADDIN TOY CO.
NEW YORK, N. Y.

—¡Prepara el desayuno, Mastodonte!

—¡NO!

—¡Haz la tarea, mastodonte!

—¡NO!

—¡Carga la mochila, Mastodonte!

—¡NO!

—¡Báñate, mastodonte!

—¡NO!

Hasta que me obliga a gritar a todo pulmón:

"¡MÁS TE VALE, MASTODONTE!"

Y entonces...

Mastodonte salta sobre mi cama...

se come mi desayuno...

garabatea mis cuadernos...

1) Problema :

Dora tenía seis manzanas. Vino Lucho y se comió dos. Después vino Enrique y se comió tres. ¿Cuántas manzanas le quedan?

$6 - 2 = 4$

$4 - 3 = 1$

Respuesta :
Le queda una manzana

$5 + 4 =$

$0 + 6 = 7$

$8 + 1 =$

$2 + 9 =$

$3 + 3 =$

se mete dentro de mi mochila...

y moja toda la casa.

¡Es difícil domesticar a un mastodonte!

Dificilísimo...

mas te quiero, Mastodonte.